JOSEPH
BEAUREGARD

Des hommes en cavale

Couverture de
Olivier Fontvieille

Photographie en couverture de
Élodie Pong

arte
Éditions

ÉDITIONS MILLE ET UNE NUITS

Les Petits Libres

JOSEPH BEAUREGARD
n° 37

Texte intégral

Ce livre est le prolongement du documentaire *En cavale* réalisé par Jean-Stéphane Bron, écrit par Joseph Beauregard et produit par Dune, Leapfrog, Sokan, ARTE France, TSR, RTBF, diffusé le 29 avril 2001 sur ARTE dans le cadre d'une soirée Thema.

© Mille et une nuits, département de la Librairie Arthème Fayard/
ARTE Éditions, avril 2001 pour la présente édition.
ISBN : 2-84205-560.8

Sommaire

JOSEPH BEAUREGARD

Des hommes en cavale

En cavale,
deux ou trois choses...

*« Vieillir veut dire aussi perdre de plus
en plus ce qui nous était promis quand nous
étions jeunes, surtout l'inconnu... »*
John CASSAVETES

Définition : « En cavale. État de fuite dans la clandestinité d'un délinquant ou d'un suspect recherché par la police ; d'un prisonnier évadé. Ce terme apparaît en 1829. D'abord argotique, puis familier, il désigne la fuite et l'évasion (1883) dans l'argot des malfaiteurs et de la police. Puis, grâce au roman d'Albertine Sarrazin *La Cavale*, paru en 1965, il est définitivement entré dans le langage courant avec l'aide des médias et du cinéma. »[1]

Héritière du *« Wanted »*, l'expression « en cavale », a toujours eu le mérite de la clarté : on n'entre pas en cavale pour un baiser volé un soir d'été. Dommage... Ici ou ailleurs, la cavale devient tout doucement un sport international... et c'est ainsi qu'en 1999 il y avait 14 282 individus recherchés par les services d'Interpol.

---

1. D'après les deux définitions données par le *Dictionnaire du français non conventionnel* (Hachette) et le *Dictionnaire de l'argot*, (Larousse).

Tous ces hors-la-loi nourrissent l'imaginaire et le fantasme d'un peuple en quête d'une histoire légendaire : le gendarme va-t-il parvenir à attraper l'homme en fuite ? Derrière le mythe littéraire et cinématographique, les rédactions enquêtent sur ces cavales qui font la une et font trembler parfois la société. Mais au final, que sait-on de la vie d'un homme traqué ? Pas grand-chose… C'est pourquoi nous avons voulu donner à voir la cavale de l'intérieur à partir des témoignages singuliers de Cesare Battisti, Daniel Bloch, Yazid Kherfi, André Pauly et Jean-Claude Pirotte.

Pour chacun de ces hommes, coupables ou innocents, la cavale a été un délit d'espérance, une illusion nécessaire, un bien pour un mal, un mal pour un bien. Évadés d'une prison (André Pauly et Cesare Battisti), formellement identifiés après un « braquage » ou une dénonciation (Yazid Kherfi et Daniel Bloch), insoumis (Jean-Claude Pirotte), ils ont mis les bouts, largué les amarres pour le meilleur et pour le pire. Quand leur cavale a commencé, ils se sont dit qu'il fallait tenir le coup, la distance dans un avenir ignoré au premier comme au dernier jour… À l'horizon, il y avait peut-être un autre destin dans cette vie errante en quête d'absolu qui se voudrait un voyage cousu de promesses aux bienfaits inédits… Chacun d'eux espère plus ou moins un nouvel Éden, une deuxième chance, un nouveau souffle. Dans cette vie d'irréductible, ils se sont sentis bien vivants, et comme dans notre imaginaire chaque cavale a été une succession de pérégrinations intempestives, de rencontres bienveillantes, de chances miraculeuses…

Rebelle flamboyant ou homme discret et efficace, Don Juan ou Robin des Bois, chacun a réaffirmé à sa manière et avec son énergie la primauté de sa liberté sur la loi. Réflexe, décision froide, conséquence logique ou vocation ancienne, cette rupture radicale possède pourtant ses lois, ses codes et ses stratégies. Coup de bluff ou ras-le-bol, le fugitif passe une frontière à fond la caisse ou à pied. Il entre en cavale comme d'autres dans les ordres ou à la Légion étrangère. Il y a celui qui se rebiffe sur la pointe des pieds, qui se dérobe, qui disparaît, qui efface sa présence. Il y a celui qui reste et, comme un ouragan, emporte tout sur son passage.

Il y a celui pour qui le temps s'écroule et celui pour qui le temps s'accélère. Celui qui quitte le pays et celui qui reste dans une géographie familière. Celui qui vit à l'ombre et celui qui vit en pleine lumière. Parfois il arrive que l'homme en cavale parade, et de temps en temps, il prend un air avantageux comme un adolescent après une grosse bêtise.

Très vite, cependant, l'homme recherché s'efforce de devenir un « latitant » (qui fuit mais n'est pas repérable), un genre de VRP de la clandestinité, un bricoleur du quotidien. Débrouilles, embrouilles, combines et arnaques, c'est parfois la piste aux étoiles. Entre prudence et terreur, il offre un visage douteux ou serein et cherche toujours à tailler un costume à sa peur, à sa réalité. Devenu un drôle d'oiseau dans sa cage chérie, il se construit une vie qui tient plus ou moins le coup. Si dans cette « seconde peau » il se sent parfois pousser des ailes, l'homme en cavale ne parvient pas à oublier que la prison est une éternelle épée de Damoclès…

Enfin, si sa cavale n'a pas d'avenir, la virulence excentrique de son propre espoir devient une aventure narcissique essentielle, une épreuve humaine complexe qui livre son message à chacun d'entre nous. La cavale ou la liberté en phase terminale…

Certains de ces hommes en fuite (Daniel Bloch, Yazid Kherfi et Jean-Claude Pirotte) ont entrepris de temps en temps un pèlerinage dans leur mémoire des lieux avec ses dérives et ses remèdes. Ils ont exploré les contours de leur liberté menacée, de leur cimetière intime. Au sommet ou au fond, ils offrent toute la palette des angoisses humaines avec leurs nuits nomades qui deviennent dès lors un métier à plein temps. À l'aube, ils se retrouvent parfois en petits morceaux, le cœur en lambeaux face à leur solitude, leur peur et leur ennui. C'est ainsi que la cavale devient un cours de patience où chaque homme passe ses souvenirs à la moulinette, à la poursuite de lui-même dans son identité voilée de faux papiers.

Pour tous les témoins de ce livre, la cavale a été un voyage initiatique avec ses petites et grandes escales joyeuses ou agonisantes, une épopée primordiale entre insouciance et désinvolture. En cavale, cette fracture qui fait que plus rien ne sera comme avant, ce temps suspendu entre le délit et le châtiment devient aussi une étrange tentative de disparition sociale. Ambiguë et douloureuse, cette fuite en avant devient aussi une ascension vers soi, une plongée dans l'obscur enchanteur, une esquisse de philosophie. Ainsi, ils ont engagé leur être sous sa forme la plus pure afin de modifier leur destin.

Dans les médias, le récit d'une cavale possède une magnifique et redoutable puissance émotionnelle et elle semble renvoyer à la société contemporaine son aliénation et ses fantasmes, ses tourments et ses convulsions. Cette transgression, ce *road-movie* hors-la-loi est, à bien des égards, le temps de l'ivresse, un jeu/je pour indomptés ou naïfs, une fronde pour rebelles ou rêveurs. Réel et fiction, imaginaire de la nuit et journal du matin, c'est toujours l'ordre, la police, la justice et la liberté individuelle qui sont en jeu dans cette fluctuante et fragile expérience humaine…

Puis vient la fin d'une cavale. Après le conte vient l'heure des comptes. Y a-t-il un bon usage de la cavale ? La cavale, cette aventure contemporaine, a obligé nos témoins à un difficile face-à-face avec eux-mêmes. Il a parfois fallu vaincre une certaine idée de soi, de la vie, des autres. Pour eux, la cavale a été un défi risqué qui exposait au pire et dont les conséquences n'étaient écrites nulle part. Si cet épisode traumatique peut détruire de manière insidieuse, la cavale peut aussi construire de manière consciencieuse. Que fuyaient-ils ? Que cherchaient-ils ? La cavale prend la forme d'un puzzle à plusieurs faces avec ses rythmes et ses points d'équilibre, ses tensions et ses fractures. Ici, on comprend que cette fuite en avant tient lieu de dynamique existentielle dans des vies en zig-zag suspendues au verdict du destin…

Révélatrice et amplificatrice des rapports qu'entretiennent les hommes avec leur liberté et la loi, la cavale par-delà le bien et le mal, nous apparaît comme une expérience humaine à géométrie variable, à l'équation inédite. Ainsi, au-delà des mots, ces hommes nous font comprendre que la cavale est un passage initiatique, des « travaux pratiques » d'un engagement absolu, qu'elle contraint à affirmer une existence singulière coûte que coûte, et permet de se réconcilier avec soi-même et avec les autres. Ces cinq histoires de cavale dialoguent les unes avec les autres et nous renvoient à nous-mêmes quelque chose de précieux et d'universel. Au fil des pages, elles mettent en relief le chemin que les hommes empruntent pour se construire et le sens qu'ils souhaitent donner à leur existence...

Il faut les regarder comme un roman secret, un déchirement intime sans mots inutiles, un chant désespéré et, aussi absurde que cela puisse paraître, le chaînon nécessaire dans leur histoire... On peut voir dans la cavale le monde adulte avec ses fractures, ses fêlures, ses déceptions, ses frustrations, ses angoisses, ses sortilèges, son mal-être et son besoin d'être, sa culpabilité et son désir de se renouveler, de tout recommencer ailleurs, là-bas... une manière de renouer avec le monde de l'enfance défunte.

Dillinger, Bonnie and Clyde, Pierrot le Fou, Jacques Mesrine, François Besse, Carlos, Hans-Joachim Klein, Roberto Zuccho, Michel Vaujour, Jacques Médecin, Didier Schuller, René Page, Patrick Brice, Khaled Kelkal, Yvan Colonna, Sid Ahmed Rezala, Alfred Sirven... autant de noms qui résonnent dans nos têtes. Foisonnant et romanesque, enlacé entre le mythe et la réalité, le thème de la fuite en avant, de l'évasion à tout prix, de la disparition sociale, de la clandestinité quotidienne me tourmentaient depuis longtemps l'esprit et le corps.

Rétrospectivement, il ne fait aucun doute que ma passion pour David Goodis et quelques films m'ont profondément influencé. Puis, j'ai vu sur ARTE un film de Mosco Boucault, *Ni travail, ni famille, ni patrie* . À partir de là, j'ai tenté d'écrire des documentaires : *S'évader n'est plus un sport, La Mort volontaire en prison* et *La Fabrique de l'ennemi public n° 1*. Puis un soir, j'ai imaginé que je partais en cavale…

Les témoins du film :
« oui, mais… »

Trouver les personnages pour un film est un moment intense, une quête à l'humain et un travail à plein temps. Entre la bonne fée bienveillante, la chance indécente, le hasard mystérieux et l'entêtement, ce travail a été une « cavale » personnelle de plusieurs mois.

Tout commence avec Jean-Claude Pirotte. Je connaissais quelques-uns de ses livres dont cet étrange récit intitulé *Cavale*. J'aimais bien l'écrivain. Le premier jour, il m'a dit qu'il n'aimait pas la télé et gardait un mauvais souvenir de sa seule participation à un film documentaire. Enfin, il lui semblait que parler de cette vieille histoire n'était pas une bonne idée. Il avait écrit son bouquin, alors que dire de plus ? Après un déjeuner de quatre heures où le vin était bon et le patron sympa, il me déclara : « Oui, mais j'ai un emploi du temps aléatoire, bizarre. » Dans les mois qui suivirent, je fis plusieurs voyages Paris-Carcassonne avec le train de nuit, pour aller le voir dans son Village du livre à Montolieu (Aude). Il s'est livré comme un pudique, doucement. En m'accordant sa confiance, il incarnait mon désir de faire ce film. Il va de soi que je lui dois beaucoup…

Ensuite, en simple lecteur de polars, j'ai pensé naturellement à Cesare Battisti. Je connaissais, comme tous les lecteurs de ce genre, plus ou moins sa trajectoire personnelle, mais rien de plus. J'ai téléphoné à son éditeur et pris rendez-vous Chez Jeannette, charmant bistrot du Faubourg Saint-Denis. En mangeant le plat du jour, après m'avoir écouté poliment, il m'a expliqué un peu agacé qu'il en avait plein le dos de parler de son histoire personnelle. Il était écrivain et préférait parler de ses livres. Justement, il allait avoir un nouveau livre en librairie… Logique, normal. Il travaillait beaucoup, à un atelier d'écriture et à un futur roman, et ne pouvait pas se permettre de consacrer une semaine à mon histoire. Nous nous sommes vus et revus. On a parlé de Hammett, Chandler, Goodis. Nous avons bu du thé vert dans son petit bureau et j'ai essayé de trouver les mots justes. Un jour, il m'a dit : « Oui, mais… » Aujourd'hui, c'est tout vu. Pendant tout le temps de cette aventure, Cesare Battisti a toujours été disponible, bienveillant, amical…

Puis, par l'intermédiaire d'un camarade, je suis allé un soir à Radio Libertaire car un certain André Pauly venait à *Ras les murs* pour livrer son témoignage sur les conditions carcérales en France. De plus, il avait été en cavale… Nous avons pris rendez-vous et le samedi midi j'allai déjeuner avec lui à Argenteuil. Devant le couscous, j'ai expliqué mes intentions. En buvant le thé à la menthe, il a dit : « Oui, mais… » Il allait être papa et ne pouvait être libre pour le tournage que pendant sa semaine de vacances. André m'a beaucoup aidé. Il m'a présenté des copains qui avaient été en cavale. On s'est souvent vu, téléphoné. On a mangé indien, chinois, japonais et l'enfant est venu au monde la bonne semaine…

En lisant un article d'Olivier Bertrand dans *Libération* du samedi 11 et dimanche 12 mars 2000, je suis tombé nez à nez avec ce « repris de justesse », c'est-à-dire Yazid Kherfi. Sur la photo, j'ai été immédiatement frappé par la tristesse de son regard, quelque chose qui vient de l'enfance. Cela m'a donné envie de lui parler. Au téléphone, j'ai été maladroit, mais j'ai obtenu un rendez-vous. Devant un verre de lait, animé par l'énergie des rencontres précédentes, j'ai exposé mon idée. Sur le principe, il était d'accord, oui, mais avec son emploi du temps de folie, il doutait de pouvoir… Il finissait un job dans les Yvelines et partait travailler à Arles, sa femme attendait la naissance d'un deuxième enfant et il avait un livre en préparation… Je suis allé le voir à Mantes-la-Jolie, il est venu à la maison. Puis un jour, j'ai rencontré son petit frère Lakdar. C'est lui, je le sens, qui a fait basculer la décision de Yazid de ce retour sur les lieux et dans sa mémoire. La semaine de tournage a été incroyablement joyeuse…

Le dernier témoin de notre film, Daniel Bloch, a été amené par Jean-Stéphane Bron, le réalisateur du film. Il avait mis en scène avec François Bovy, (le chef opérateur), une pièce de théâtre autour de la vie de cet homme : une nuit de prise d'otages dans une maison isolée. Il lui a rendu visite en prison avec le projet écrit. Après une négociation sérieuse avec les autorités pénitentiaires et une amicale conversation avec Daniel Bloch, nous avons pu le filmer. Les trois jours où nous lui avons parlé, Daniel Bloch a fait preuve d'une remarquable gentillesse à notre égard et d'un grand sérieux dans cet étrange travail…

Au fil de toutes ces rencontres, de toutes ces soirées de dialogues et de drôleries, de tous ces repas en commun, j'ai cherché à construire une histoire « pure » et « simple » avec chacun dans la confiance et le respect.

Condamné à 20 mois, 5 ans de cavale.

Jean-Claude Pirotte

« Un patrimoine bien à nous : les heures où nous n'avons rien fait... Ce sont elles qui nous forment, qui nous individualisent, qui nous rendent dissemblables. »

E. M. CIORAN

Né le 20 octobre (comme Rimbaud) 1939 à Namur dans une famille de grands bourgeois, Jean-Claude Pirotte est un personnage à la Emmanuel Bove. Il vit caché les premières années de son enfance. Pendant la guerre, son père dirige un réseau de résistance. Il se demande parfois si cela n'a pas joué un rôle dans son goût pour la clandestinité. Enfant tourmenté et timoré, il fait plusieurs fugues avant de devenir docteur en droit et un avocat prestigieux. Pendant onze ans, il est un avocat engagé qui pense que la loi n'est pas tout, et l'homme bien plus important que le code de procédure pénale. Dans son travail au quotidien, il a un faible pour les déshérités et acquiert une expérience très concrète de la cavale par sa clientèle. Puis, un jour, il y a le grain de sable… En 1973, il est accusé d'avoir donné une lame de scie à un détenu. Condamné par la justice belge à vingt mois de prison ferme en 1975, il ne veut pas avoir à justifier son innocence. Il décide donc de fuir dans sa MG rouge pour une CDD ("cavale à durée déterminée"). Sa cavale devient très vite un vagabondage et fait de lui un Diogène des temps modernes, un amoureux de la vigne. Il justifie par l'absurde son goût du vagabondage et réalise enfin le rêve qu'il caresse depuis l'adolescence d'aller de bistrot en bistrot, « selon un axe géographique profondément ancré en [lui], un axe lotharingien, Hollande-Bourgogne ». Il se réfugie à Marsannay, en Côte-d'Or, où habite sa famille adoptive, celle qu'il s'était donnée à l'adolescence lors d'une première fugue. Protégé par elle, des amis et des anonymes, pendant ces cinq années de cavale, délai nécessaire à la prescription, il confirme son goût pour la lecture, la musique, la peinture et l'écriture. La justice de son pays, en forçant Jean-Claude Pirotte à prendre la fuite, l'a finalement sauvé du destin ordinaire d'un grand avocat qui connaissait déjà sa fin. Enfin, l'étrangeté de cette histoire, c'est que cet homme savait qu'un jour ou l'autre il lui serait arrivé quelque chose… A-t-il inconsciemment provoqué sa cavale? À son retour, plus rien ne pouvait être comme avant. Depuis vingt ans, cet écrivain arpenteur, vit plus ou moins bien de ses livres, l'esprit toujours en cavale… Il a reçu le premier Prix Marguerite Duras en février 2001.

Les Fugues
d'un avocat vagabond

« Partir en cavale,
pour moi, c'était en quelque sorte
l'audace des timides. »

« J'avais depuis l'enfance le goût de l'errance qui se nourrissait de ma peur des autres dans mon environnement proche. Ma cavale est sans doute le résultat de cette peur fondamentale, d'une angoisse existentielle. Je suis allé vers un ailleurs pour me chercher et ne jamais me trouver. J'étais un enfant peureux, timoré, en fait j'avais peur de tout quand j'étais gosse et je suppose que je suis resté un enfant peureux.

Pendant les onze ans où j'ai été avocat, j'étais constitué par ce qui m'entourait : le barreau, les juges, les policiers et j'y vivais artificiellement, je m'y sentais étranger. J'avais défendu quelques clients en cavale, d'autres qui étaient partis après des condamnations. Je trouvais cela romanesque et aventureux. Et quand ma cavale a commencé, j'ai eu le sentiment de réintégrer le genre humain que j'étais en train de perdre à cause de cette machination sociale. C'est avec la cavale que j'ai eu l'impression d'être dans le monde vrai, j'approchais de la vérité, une vérité relative dans un monde intemporel. Je trouvais que les gens qui vivaient ordinairement n'étaient pas dans le vrai monde.

Je crois que si je m'étais prêté à l'exécution, je ne serais pas resté en prison plus de huit jours, sans même demander une grâce. Un scandale aurait sans doute éclaté, la presse se serait emparée de l'affaire ou cela aurait été un bras de fer avec le procureur. Il y avait deux choses à faire, en réalité : ou bien entrer en prison et provoquer le scandale ou bien m'en aller. M'en aller me paraissait non seulement évident, mais surtout nécessaire. Je rejoignais, là, l'enfant un peu rebelle que j'avais toujours rêvé d'être et l'adulte rebelle que je n'étais pas. Cette décision était pour moi une occasion rêvée, je m'en suis rendu compte assez vite sans doute et sans vouloir me l'avouer. C'était l'occasion de dire non à toute une série de choses, à une vie qui me pesait. Je risquais de devenir un avocat ordinaire, d'exercer une profession qui exige une énergie et une vocation que j'allais perdre. La cavale était en quelque sorte une bouée de sauvetage.

Au commencement, j'étais déchiré entre ma nécessité de conserver tous les jours ma liberté et l'autre nécessité qui était de faire vivre une femme et deux filles. J'ai eu la chance d'avoir été soutenu par ma femme qui a compris et respecté ma décision. Je comptais sur elle, je l'aimais, ou je me suis mis à l'aimer dans la mesure où elle était absente. Vivre en cavale, c'est vivre dans le désordre, mais aussi avoir besoin de protection, d'amour.

J'ai pu compter sur l'amitié et la fraternité pour préserver ma liberté. Ils sont nombreux, les moments où je me suis senti protégé par les amis ou ma famille adoptive, les Janin. Ces moments sont bien plus nombreux que ce que l'on peut imaginer ordinairement. C'est la solidarité amicale qui te permet de tenir et le fait de savoir que tu dois à un moment ou à un autre quitter tes amis renforce ce sentiment de protection. La cavale m'a permis d'établir un cadastre de mes relations, de faire le point sur qui était qui et il y a eu peu de déceptions.

Je me suis aussi senti protégé par "les autorités". Quand j'étais en Bourgogne, le maire du village où j'habitais venait me voir pour me dire : "Je viens encore de voir l'avis de recherche à la préfecture donc il serait bon que tu prennes un peu de distance." Je partais immédiatement vers une destination inconnue. Un commissaire de police savait aussi que j'étais en cavale mais comme j'étais un bon partenaire à la belote, il fermait les yeux en me disant : "Je ne t'ai pas vu." La conception judiciaire du monde n'est pas exactement celle qu'on croit. Il existe encore des refuges qui sont des refuges simples. Aller simplement aux endroits où on pourrait penser qu'on va vous trouver, c'est le bon moyen de ne pas être découvert. Chez les Janin, n'importe quel flic un peu malin se serait dit que je pouvais y aller, ils n'y ont pas pensé, évidemment. J'étais là, plus protégé qu'ailleurs.

Je suis un charlatan et un affabulateur depuis toujours. Mais en ce qui concerne la cavale j'ai plutôt tendance à minimiser les choses. Parce qu'une vraie cavale à mes yeux, c'est quand même celle de quelqu'un qui a commis des faits tellement répréhensibles qu'en protégeant sa liberté il est pratiquement obligé d'entrer dans une absolue clandestinité et de commettre des délits. J'ai bien sûr parfois eu la tentation d'en commettre, mais j'ai réussi à ne pas le faire et ma clandestinité petit à petit n'était devenue que relative puisque j'étais regardé comme quelqu'un de présent ici et là, dans des villages et dans des petits bourgs où la puissance et les acharnements policiers ne parvenaient pas.

Indiscutablement, pendant ces années, j'ai tenté une forme de disparition, "une mort civile". En prenant la décision d'être en cavale, je voulais maîtriser le hasard et cette disparition programmée et volontaire, ce n'était pas un suicide, bien au contraire… En réalité, c'était une naissance.

La cavale est un état de rébellion, sans doute chez moi originel et probablement causé par la sensation d'enfermement familial. C'est aussi une frontière mentale et c'est donc pour moi une forme de justification par l'absurde de mon goût du vagabondage, de l'errance, de la paresse, au fond du rêve enfantin… d'une autre sorte de robinsonnade, mais dans un monde civilisé auquel on n'accorderait pas trop d'importance.

Mais la cavale a ceci de tout à fait paradoxal qu'en recherchant à tout prix sa liberté on est obligé de se cantonner à la clandestinité, dans le secret on crée en fait une nouvelle forme d'emprisonnement, si bien que la cavale débouche tout simplement, parfois, sur l'emprisonnement de soi. J'ai surmonté ce paradoxe, je suppose, petit à petit, essentiellement en écrivant, en lisant et en peignant et finalement en paressant aussi, en érigeant la paresse en règle de vie.

Quelques semaines ou peut-être deux ou trois mois avant la fin de ma cavale, Nanou ma femme, me dit : "Enfin, ce sera bientôt fini, tu vas pouvoir te réinstaller dans la vie sociale normale, enfin nous allons pouvoir découvrir une vie plus sereine et plus conforme à ce dont on peut rêver." Je lui ai répondu : "Mais enfin bon sang, la vie normale, c'est pas mon affaire, c'est trop tard ! Il y a trop longtemps que je vis pas une vie normale et je veux surtout pas retrouver la vie que j'ai connue avant. Je ne veux plus entendre parler de barreau, je ne veux plus entendre parler d'une vie normale. Je veux entendre parler de liberté, mais pas de contrainte."

Rien ne me faisait peur, j'étais simplement enragé à la pensée que j'allais tout à coup me retrouver devant des responsabilités familiales, sociales qui ne me convenaient pas du tout. Il n'était plus question pour moi de me prêter aux conventions sociales, aux conventions idéologiques, aux conventions familiales, enfin plus rien de tout cela ne me concernait. Il ne s'agissait plus pour moi que de littérature et de peinture.

Il était bien question de préserver ma disparition même si, par ailleurs, je pouvais devenir un homme public puisqu'un écrivain qui publie c'est en quelque sorte un homme public, mais mes livres sont confidentiels. Et je tiens au fond à la confidence et cette idée de disparition je crois qu'elle est dans tout ce que j'écris et même dans tout ce que je peins. Il y a éventuellement des traces d'un passage, mais l'essentiel disparaît au profit sans doute de sa vérité. C'est assez paradoxal. Penser que disparaître est ce qui compte alors même qu'on voudrait éventuellement apparaître. Mais il faut se forcer peut-être pour disparaître. Il ne faut pas se laisser aller à écouter les sirènes du monde bourgeois et du monde de l'entreprise.

Je n'aime pas la subordination, l'assujettissement à une entreprise ou même éventuellement à une idée. Pour moi, la vie est faite de paresse d'abord, mais c'est une paresse active, comme disait Georges Perros, qui est un état nerveux par excellence, disait-il. J'ai toujours le sentiment de vivre dans des romans, en vivant à l'hôtel avec des personnages qui sont plutôt des vagabonds en désaccord avec la société. Sans être des anarchistes à tout crin, ce sont des gens qui suivent le cours de leur méditation et le cours des nuages.

J'ai gardé de la cavale plusieurs habitudes inscrites au plus profond de moi mais complètement inconscientes. Quand je vais au café, je ne tourne jamais le dos à la porte, afin de voir tout ce qui se passe autour de moi. La deuxième, je vais toujours voir aux toilettes s'il y a une possibilité de s'enfuir. La troisième, je ne m'installe jamais en terrasse car c'est le meilleur moyen de se faire remarquer. »

4 ans de prison, 4 ans de cavale.

Yazid Kherfi

« Qui ne croit pas au Destin prouve
qu'il n'a pas vécu. »

E. M. CIORAN

Yazid Kherfi est né le 15 mai 1958 en France. Enfant
silencieux dans l'univers familial, en échec scolaire dès la
sixième, copain avec les durs du Val-Fourré à Mantes-
la-Jolie, la plus grande cité de France. Il fait son premier
séjour en prison (deux mois) en 1978. En 1979 et 1980, il
y retourne encore pour de petites peines. Un jour de
juin 1981, il part avec des copains dans une voiture volée,
les vacances, direction la Côte d'Azur. Sur la route, ils bra-
quent des stations-service et volent une autre voiture. Le
10 juin 1981, sa vie bascule sur la nationale 7. À l'entrée
de Bollène (Vaucluse), la gendarmerie française les attend

derrière un barrage. Yazid parvient à passer miraculeusement, mais son meilleur copain trouve la mort. À partir de cet instant, il devient un homme traqué, un homme en fuite. Ainsi commence la cavale de ce jeune délinquant « ordinaire » de vingt-trois ans qui aime le rôle du gangster. La première partie de sa cavale a lieu en pleine nature. Il se cache dans une forêt (Gard), creuse un trou, s'enterre et finit par se rendre dans un village où vit une de ses tantes, La Grande-Combe. C'est le lien familial, en l'occurrence son jeune frère, qui permet à Yazid de passer entre les mailles du filet de la gendarmerie. Après réflexion, il décide de fuir en Algérie avec le passeport de son jeune frère Lakdar en poche. Arrivé dans le village paternel, Yazid fait deux ans de service militaire. Il se réconcilie avec son père et reste au pays jusqu'à la mort de celui-ci. Après l'enterrement de son père, il rentre en France clandestinement en octobre 1984. Peu de temps après, il est arrêté chez sa mère au petit matin. Fin de sa cavale. Sorti de prison en 1987, réconcilié avec lui-même et avec les siens, il devient directeur d'une maison des jeunes dans la banlieue parisienne. Depuis 1997, il est licencié en sciences de l'éducation et vient de rejoindre l'équipe de Charles Rojzman, Transformation Thérapies Sociales, où il intervient pour instaurer le dialogue entre les jeunes et les pouvoirs publics...

La Cavale du mal-aimé

« Au départ dans la vie, je voulais être un gros voyou. C'était une passion.

J'ai toujours eu l'impression d'être un mauvais, un nul. Alors j'ai choisi cette vie, j'ai choisi de prendre des risques, parce que je ne pouvais pas parler de ce sentiment très fort de dévalorisation. »

« Avant d'entrer en cavale, l'idée que j'en avais était simple, c'était celle que je voyais dans les films. Pour moi, la cavale était synonyme d'échec et de chance, c'est-à-dire que l'on est presque attrapé mais qu'il y a encore une toute petite probabilité de s'en sortir. On est entre la prison et la liberté, donc tout reste à faire.

Un été, je m'emmerdais comme d'habitude et des copains sont venus me chercher en voiture volée pour descendre sur la Côte d'Azur. J'ai décidé de partir avec eux au lieu de rester dans le quartier à rien faire, quitte à ce qu'il y ait des problèmes sur la route. On a enchaîné les délits, on a braqué pas mal de stations-service. On a roulé toute la nuit, on a piqué une seconde voiture. Ensuite on a roulé très vite et on est tombés sur un barrage de gendarmes. J'ai vu qu'il y avait un espace entre le trottoir et la route, j'ai accéléré et réussi à passer pour prendre la route de la campagne. À ce moment-là on s'est fait tirer dessus.

J'ai senti que je côtoyais la mort de près. Je pouvais passer entre les balles ou je pouvais être tué, c'était pile ou face. J'avais accepté la règle du jeu, et je croyais en mes chances. J'étais convaincu que je pouvais m'en sortir. Je plaçais la mort comme quelque chose de naturel, de banal qui pouvait arriver comme ça. En fait, pour moi c'était pas très important de mourir. De toute façon, on peut mourir n'importe quand…

Lorsque je me suis enfui dans la montagne, après avoir forcé le barrage, j'ai creusé la terre avec mes mains pour m'enterrer, me cacher. Je suis resté là trois jours, j'ai pas mangé, pas dormi. Les flics étaient juste au-dessus de moi, je les entendais marcher, parler, en blaguant ils disaient : "Sors Mohammed on t'a vu", et je me retenais de rigoler pour ne pas faire bouger la terre.

C'était exactement comme dans une scène de film. Quand tu vois un hélicoptère au-dessus, les chiens, les flics qui avancent en ligne de chaque côté. Au bout d'un moment, je suis rentré dans le personnage, j'ai joué le même rôle que les acteurs que j'avais vus dans les films. Ça a marché, dommage qu'il n'y ait pas eu de réalisateur pour tourner en direct.

C'était plaisant, c'était comme un jeu contre la police, c'était un pari, un défi. J'ai remporté une belle victoire contre les flics. Avec tous les moyens qu'ils avaient, ils n'ont pas été fichus de m'attraper, ils ne savent pas courir et sont très mal équipés avec leurs pantalons serrés, leurs mitraillettes… Je les ai bien eus à ce moment-là.

Je pense que tous les voleurs devraient faire un peu plus d'athlétisme, courir est un moyen de défense, en tout cas c'est un moyen de survie.

Quand je suis entré en cavale, j'ai eu le sentiment que ma vie m'échappait : les journaux publiaient ma photo, la police me traquait. C'était moi contre le système policier. J'étais seul face à toutes mes émotions, seul face à mon destin. J'étais aussi plus amoureux de la vie, car j'ai toujours recherché les sensations fortes.

À partir du moment où on est en cavale, on est déjà en échec puisqu'on est recherché par la police. Il faut pouvoir le supporter psychologiquement et l'accepter parce que, pendant cet échec, il faut faire preuve d'initiative, sortir ses capacités, ses forces physiques, toutes ces choses-là. C'est pas forcément évident, il faut avoir le moral. Ça permet de voir que tu peux compter sur ta famille, quoi qu'il arrive. T'es pas un étranger, ça c'est important !

Je pensais souvent à ma mère. Elle était la seule personne qui pouvait partager mes sensations : la peur, la survie. J'ai conçu de la culpabilté de la faire souffrir mais cela fait partie de la vie. On ne peut pas faire plaisir à tout le monde.

Quand j'ai appris que mon copain était mort, je savais pas quoi faire, si je devais me rendre ou rester en cavale. Mais sans fric en France, ce n'est pas la peine de faire une cavale. Alors je suis parti en Algérie avec le passeport de mon frère. Je savais que l'armée était obligatoire, mais j'ai accepté. Au moins ça me faisait un break, ça rassurait tout le monde. C'était une façon d'arrondir un peu les angles.

Il y a donc eu deux moments très différents pendant ma cavale. Le premier, c'est une course poursuite, une course folle pour sauver ma peau. Cela a duré dix jours. Le deuxième, c'est dans mon bled en Algérie où j'ai vécu en toute sécurité pendant presque quatre ans.

En arrivant dans mon village, j'ai été très étonné par l'accueil de la famille que je ne connaissais pas. Tout le monde m'embrassait, me touchait pour voir si je n'étais pas blessé. Le regard qu'on posait sur moi était flatteur : "Yazid est un homme, il a défié la police française." Ils étaient contents, ils m'admiraient. Il faut dire qu'ils ont un très mauvais souvenir de la police française…

Dans le village tout le monde connaissait mon histoire et les gens m'avaient surnommé "le diable". Chacun a romancé ma cavale en y ajoutant sa petite histoire et j'ai fini par être un "dur à cuire", un héros. J'ai été obligé de raconter mon histoire et j'ai moi aussi rajouté un peu de sauce…

Mais très vite je me suis ennuyé, car je n'avais pas les mêmes préoccupations que les paysans du coin. J'ai commencé à être nostalgique de ma vie de braqueur, j'avais besoin d'action, mais je suis resté pour faire plaisir à mon père avec qui je n'avais jamais réussi à parler. À sa mort, ma famille est venue et nous avons vécu un moment fort. Ils sont repartis et moi je suis resté seul.

Je suis conscient que le fait d'avoir été en cavale m'a permis de faire oublier que j'avais été un mauvais fils, un mauvais frère. Quand mes frères et mes sœurs sont venus me voir, eux aussi étaient fiers car dans notre quartier "Yazid" était devenu quelqu'un. C'est surtout avec le petit frère et les deux petites sœurs que l'admiration était la plus forte.

Puis j'ai fini par ne plus pouvoir rester au bled et je suis monté clandestinement dans un bateau pour Marseille. Plus rien ne me retenait alors. Si papa n'était pas mort, je ne serais jamais revenu. Je serais peut-être resté en Algérie toute ma vie, je serais marié, j'aurais des gosses…

À mon retour en France, je vivais sur un nuage, car le regard des autres était très flatteur. Les nanas me courtisaient. Elles aimaient les mecs comme moi qui étaient des durs. Je suis allé voir les amis et pendant quelques mois j'ai vécu en faisant des conneries. Voler pendant que tu es en cavale, c'est encore pire. J'étais beaucoup plus motivé, déterminé que les autres. J'étais prêt à tout puisque je n'avais plus rien à perdre.

Puis j'en ai eu un peu marre qu'on me regarde uniquement comme quelqu'un qui était en cavale. C'est fatigant à force, de n'être jamais tranquille, d'avoir toujours peur de rencontrer des flics. La nuit tu dors et puis peut-être qu'à six heures du matin, les policiers vont débarquer chez toi. Tu fais peur à ta famille. Tu n'es pas tranquille et ta famille non plus, d'autant que toi tu es dans l'action, mais pas ta famille, elle n'est que dans la peur.

Il faut sans arrêt improviser, courir, se cacher, être en état d'alerte. Alors on finit par retourner dans des endroits que l'on connaît, dans lesquels on a des repères. On est quand même un peu perdu et pour trouver des forces, il faut se sentir en sécurité dans des endroits que l'on connaît.

À un moment j'ai eu besoin de souvenirs, besoin de revoir l'appartement où j'avais vécu toute ma vie. C'est tout naturellement que je suis revenu chez moi.

Je me souviens de mon arrestation, j'avais dormi chez ma mère, parce que j'avais donc un besoin vital, de retrouver les miens, de sentir l'ambiance familiale. Le matin, j'ai été acheter du pain à la boulangerie et on a déjeuné en famille. Ensuite, je suis parti dans la chambre, puis ma mère a frappé à la porte. Quand j'ai ouvert j'ai vu plein de flics autour de ma mère. Il y en avait partout dans le couloir, à la fenêtre, là j'ai compris que ma cavale était terminée. D'un côté il y avait un soulagement, de l'autre j'ai hésité à me battre, à m'enfuir et puis, voyant ma mère et ma sœur pleurer, je me suis laissé faire.

La cavale fait partie de mon histoire, c'était un choix, je l'assume et j'en reste fier.

J'avais choisi d'être délinquant, je ne regrette pas, j'aurais pu partir en usine. C'est pas par hasard qu'on devient délinquant et puis c'est pas par hasard qu'on s'en sort aussi. J'adorais la période où j'étais délinquant, mais j'ai changé.

Avec la cavale, j'ai retrouvé une place, j'ai repris conscience de l'importance de la famille. Je suis redevenu honnête pour rendre à ma famille ce qu'elle m'a donné et pour remercier tous ceux qui m'ont aidé à m'en sortir. C'est comme une réparation. Par reconnaissance, j'ai décidé de montrer le meilleur côté de moi-même. Moi aussi, je peux devenir quelqu'un de bien. On peut être le pire à un moment donné et devenir le meilleur dans la cinquième saison.

Aujourd'hui, plus rien ne me fait peur et ma vie est banale. Je deviens un "beauf" avec mes crédits, mon pavillon, ma femme et mes deux enfants…

Tout le monde devrait tenter un jour une cavale pour finir comme moi. (Rires) »

13 ans de prison, 2 ans de cavale.

André Pauly

« Chaque fois que le futur me semble
concevable, j'ai l'impression d'avoir été visité
par la grâce. »

E. M. CIORAN

Né au Maroc le 18 juin 1949 dans la petite bourgeoi-
sie locale, André Pauly est un personnage à la Jean-Pierre
Melville. Très attaché à son père, il commence sa vie de
voleur à l'âge de quatre ans, en chipant le solitaire de sa
mère pour l'offrir à sa bien-aimée. Est-ce un hasard ? À
compter de ce jour, son goût pour le vol se transformera
en une passion, en une vocation. Après une scolarité catas-
trophique et plusieurs petits vols, André Pauly s'engage
dans l'armée pour cinq ans. De retour à la vie civile, il
entre en cavale en août 1974 suite à une dénonciation

pour le cambriolage d'une bijouterie. Clamant son innocence, il finit par se livrer au juge d'instruction le 10 juin
1975. En juillet 1977, il est toujours en prison à Bourges,
en préventive, et estime que son affaire est mal engagée.
Le 27 juillet, avec l'aide de François Coudray, spécialiste
des cambriolages dans les presbytères, ils réussissent à se
« faire la belle » et se remettent « au travail ». Très vite, ils
décident de se séparer pour limiter les risques. Pendant
cette cavale, André s'associe avec une équipe de braqueurs
– tous en cavale – et commence alors la surenchère dans
les mauvais coups. Parallèlement, sa vie est aussi celle d'un
cavaleur, un homme qui aime les femmes. Le 18 juin 1978,
pour son trentième anniversaire, ils attaquent le commis-
sariat d'Évian dans le but de braquer le Casino Royal. La
première balle tirée, André Pauly la prend en pleine tête.
Après avoir été correctement soigné à Paris, sa cavale
s'achève bêtement en septembre 1978 à Mouscron, en Bel-
gique, alors qu'il prend un sens interdit en voiture… Libre
depuis fin 1987, il est éducateur auprès de jeunes en diffi-
culté, acteur et père depuis octobre 2000 d'un petit Luca.
Si la cavale a été le moment le plus intense de sa vie, après
la naissance de son fils, il est probable qu'il ne lui parlera
jamais de cette mémoire…

La Grâce du braqueur

> « Quand j'étais enfant,
> je ne pensais pas cavale,
> mais voyage, aventure… »

« Je me suis évadé de prison parce que j'avais envie de vivre, envie de faire l'amour. Je ne voulais pas être planqué comme un rat et attendre je ne sais quoi. Pour croquer la vie à pleines dents, j'avais besoin que "le monde" soit présent, qu'il me contemple afin d'exister dans son regard.

Pour moi, j'en suis convaincu, il n'y a que dans la clandestinité qu'un individu peut exister. Dès l'instant où tu entres en cavale, on s'occupe de toi, à commencer par les flics. Quand tu es dans l'ordre, tu n'existes pas, tu es comme tout le monde. En cavale, tu peux rencontrer Jean-Paul Sartre et il t'écoute, il s'intéresse à toi, il t'héberge, il te planque, il rentre dans ton jeu, il devient ton complice, il est séduit par toi.

Ce qui devient essentiel en cavale, c'est la solidarité et ce n'est pas de la mythologie. J'ai découvert que des tas de gens n'hésitaient pas à m'ouvrir leur porte, à m'héberger, à me protéger. Les gens s'identifiaient à ma cavale et ils avaient envie d'appartenir à mon histoire. Il y a quelque chose qui émane de toi et que les gens ressentent. Tu es d'un seul coup plus beau, les gens ont envie de te connaître et ils te désirent, ils ont envie d'être toi. Cette vie de cavale, elle a été immensément riche en relations humaines.

En cavale, j'avais de la puissance, une aura, une

beauté. Je dégageais des odeurs qui étaient captées. J'avais toujours les sens en éveil, alors j'ai connu beaucoup d'aventures avec des femmes.

Les femmes ont énormément compté dans ma cavale. Elles sont toutes un peu mères et sont là pour te donner des limites, pour te conseiller, pour éviter que tu ne te détruises. Elles t'expliquent que la vie mérite d'être vécue alors que toi tu la méprises.

Quand tu es en cavale, tu es égocentrique, c'est-à-dire que tout tourne autour de ton petit nombril, tout tourne autour de ta petite personne, c'est toi qui existes et rien d'autre. Et là tu peux faire du mal parce que tu ne penses qu'à toi, les gens que tu aimes, les gens qui t'ont protégé, les gens qui sont proches de toi, ta famille, tu les oublies un peu. Le point commun à mes deux cavales, c'est que j'ai emmerdé toute ma famille. Mon père, qui est un chic type, était harcelé en permanence par la police et la justice. Mon frère, ma sœur et ma première compagne sont allés en prison à cause de moi, alors qu'ils n'avaient rien à voir avec mes histoires. Je leur demandais de prendre des risques, mais j'étais trop égoïste pour supposer un seul instant que je pouvais les mettre en danger. Je crois même que je m'en foutais complètement.

La cavale possède une grande vertu, c'est celle de dire non. Tu as l'esprit de résistance, tu as l'esprit de ne pas accepter l'aliénation et pour moi, c'est important, ça… d'être soi-même. L'idée d'une cavale, c'est un enrichissement.

À tous les mecs qui sont en taule, je dis : "Évadez-vous ne serait-ce que pour connaître cette expérience, mettez-vous en cavale, parce que ça vous permet de vous délivrer." C'est une deuxième vie. C'est une résurrection. Tu sors du ventre de ta mère, mais de ta mère sociale, qui t'a gardé, qui te conserve entre ses murs, entre ses tripes, quand tu te mets en cavale, tu sors de ça, tu es délivré et tu vis, tu revis. Quand tu es en prison, tu finis par t'installer, et pour s'évader il faut se faire violence.

La prison, c'est une imposture, le condensé de toute la bêtise humaine. On crée tout un échafaudage de lois, que tu violes, que tu transgresses... pour te foutre dans un petit endroit très restreint avec un mur tout autour, un grand mur de six-sept mètres pour éviter de passer de l'autre côté. C'est un univers concentrationnaire où on met un maximum d'individus dans des petites cases, qu'ils soient matons ou voleurs... On les met là-dedans parce qu'ils prennent trop d'espace, ils prennent un espace qui leur est interdit, c'est ça la réalité des choses. La cavale t'émancipe du cloître...

Pendant mon évasion, quand j'étais en haut du mur, j'ai vraiment eu le sentiment que je touchais Dieu, que je célébrais la vie, que je montais au ciel. C'était l'eucharistie... J'ai eu des sensations vertigineuses en franchissant ce mur. La seule façon de savoir que tu existes, que tu es libre, c'est un jour d'avoir perdu ta liberté. Le mec qui est libre, il ne le sait pas. Le mec qui est en bonne santé, il ne le sait pas, sauf le jour où il est malade. En cavale, j'étais un animal mâle dominant, un fauve, parce que ce qui était capital pour moi dans la cavale, c'était la notion d'espace vital. J'avais besoin d'agrandir mon territoire, comme le fauve.

Pour exister en cavale, il fallait que je sois actif, explosif, que mes méfaits soient lisibles dans la presse. Ainsi, pendant ma deuxième cavale, quand j'allais braquer, il y avait quelque chose de suicidaire car il y avait une surenchère sur les coups : toujours plus forts, toujours plus spectaculaires. Avec mes collègues qui étaient tous en cavale, nous nous présentions en tenue militaire, le visage à découvert, et les policiers nous considéraient comme la bande des "fous dangereux en cavale" ce qui facilitait notre travail et notre fuite.

La cavale ça coûte cher. Tu as besoin de tune pour acheter les papiers, pour acheter les armes, pour préparer les planques, mais aussi parce que tu achètes des amitiés. Tu as besoin d'acheter du sentiment, tu as besoin de paraître, et ça coûte vraiment cher, c'est ce qui coûte le plus cher. Ce qui est essentiel dans la cavale, c'est qu'elle dure, qu'elle perdure, et que tu t'enrichisses, que tu sois le plus riche possible. Mais en fait le fric c'est l'alibi, c'est pour vivre le danger. Tu dépenses facilement parce que l'argent te brûle les doigts et quand tu n'en as plus tu es obligé d'aller en chercher. La surenchère elle commence là.

Peut-être que le braquage, c'est aussi ce qui te fait dire je ne retournerai pas en prison, ils vont me flinguer sur le tas. Tu continues des braquages de plus en plus importants, de plus en plus risqués parce que tu vas te prendre une balle et alors tu n'iras plus en prison, tu finiras en beauté. On veut aller toujours plus loin, repousser les limites, savoir jusqu'où on va aller, ce qu'on est capable de faire. Il y a quelque chose de suicidaire là-dedans parce que les limites on ne sait pas où elles s'arrêtent. On veut aller le plus loin possible mais sans se faire serrer. Alors peut-être qu'on recherche la mort. C'est inexplicable, mais toujours est-il qu'on va chercher des émotions de plus en plus fortes et donc qu'on flirte avec la mort. Quand t'es en cavale, la vie devient ivresse, au moins la tienne.

Pendant la cavale, il y a aussi l'aspect comédien que j'aime bien. Quand tu montes sur une des caisses enregistreuses dans un supermarché et que tu as une vingtaine de gendarmes qui sont clients parce que c'est la fête de la gendarmerie, il faut montrer que tu es sûr de toi. C'est un jeu, c'est du cinéma, d'ailleurs j'ai entendu au moins une dizaine de personnes qui disaient : "Oh, on se croirait au cinéma." Tu es un peu le comédien et moi je sais personnellement que jamais je n'aurais tiré délibérément sur quelqu'un, mais il faut que le mec en face de toi ait l'impression que tu es capable de tirer. Il faut qu'il ait l'impression d'avoir un fou en face de lui qui est déterminé, prêt à faire n'importe quoi. Donc tu joues en fait, tu simules. Mais je n'étais pas prêt à faire n'importe quoi.

Je savais pertinemment pendant la cavale qu'un jour elle allait s'achever. Alors, j'avais envie de goûter un maximum d'expériences. Je savais que sur cent hommes en cavale, quatre-vingt dix-neuf sont un jour attrapés. C'est mathématique, car les policiers attendent la faute qui arrive un jour ou l'autre. Ma seule idée, ma seule volonté était de maîtriser mon destin le mieux possible et le plus loin possible...

Dans le quotidien tu sais que tu peux être serré, ça joue sur ton subconscient. Toutes tes nuits sont tourmentées. Plus je m'acclimatais à cette angoisse, plus j'oubliais que j'étais en cavale. Pourtant, elle revenait dans mes rêves. Presque toutes les nuits je "cauchemardais". L'angoisse, c'est difficile à gérer parce que l'angoisse c'est pas toi qui la décides, elle vient comme ça, elle te surprend, tu sais pas quand, elle te prend la nuit pendant ton sommeil, tu te réveilles assez souvent en sueur et tu trembles d'un seul coup et puis tu entends un bruit suspect qui te fait peur et tu… tu crois que tu es encerclé et tu sors ton flingue.

À un moment donné ça fatigue la cavale. Et quand j'ai pris ma balle dans la tête à Évian, la première chose que je me suis dite, c'est : "Ça y est je suis mort, j'ai plus de souci." C'est la première chose qui m'est venue en tête avant de hurler : "Non maman, je veux vivre."

Aujourd'hui, je peux dire que la cavale possède des vertus précieuses. Quand je me suis fait arrêter comme un con parce que j'avais pris un sens interdit, quelle chute ! C'est là où j'ai appris l'humilité. J'ai aussi repoussé mes propres limites et je me suis donc découvert tel que je suis réellement. Mes cavales sont des périodes précieuses et je n'éprouverai plus jamais les mêmes sensations, les mêmes émotions. Parfois quand je déprime, ma chance, c'est de pouvoir les faire remonter à la surface afin de retrouver ces sensations. Je me souviens d'avoir existé vraiment, donc je me dis que j'existe toujours. Je ne sais pas si c'est de la nostalgie.

J'ai gardé plusieurs habitudes de mes cavales. La première, c'est que je porte toujours sur moi une ceinture plombée. J'ai dans ma ceinture trois cent soixante-cinq jours par an deux mille francs au cas où… »

4 ans de prison, 13 ans de cavale.

Cesare Battisti

« Plus on a souffert, moins on
revendique. Protester est signe qu'on
n'a traversé aucun enfer. »

E. M. CIORAN

Cesare Battisti est né en décembre 1954 dans la banlieue de Rome, dans une famille religieusement communiste. À son actif, il a une dizaine de romans noirs et une
condamnation à perpétuité en Italie pour son engagement politique au cours des années soixante-dix. Son premier petit séjour en prison, il le fait en 1971 pour un
combat de rue avec des policiers. Obsédé par l'idée de la
réappropriation prolétaire, il abandonne le lycée, écoute
du rock, découvre les belles filles et s'engage. En 1974,

JOSEPH BEAUREGARD

malgré l'absence de preuve, il est condamné à six ans de réclusion pour braquage avec prise d'otages. En 1976, grâce à la lenteur de la procédure italienne, il recouvre sa liberté. Il est de nouveau identifié, sa vie bascule dans la clandestinité professionnelle, la cavale militante. En 1979, il est arrêté à la suite d'une vaste opération antiterroriste. À ce moment-là, tout le monde commence à comprendre que la révolution touche à sa fin. Pendant toute cette période, l'Italie est en feu et le gouvernement en place pratique une très sévère répression. Enfin, lors de son procès, Cesare Battisti refuse de se défendre. Il est incarcéré dans un QHS. Le 4 octobre 1981, son groupe attaque la prison, et Battisti parvient à s'évader. Après une longue traque, il parvient à passer la frontière franco-italienne avec son groupe. À Paris, les avocats qui négocient avec le gouvernement socialiste récemment en place lui font comprendre que son cas est trop lourd… Ayant rencontré Laurence, sa future épouse, il part pour le Mexique par l'entremise d'une relation. Ils y vivent dix ans et auront une fille. Sous une fausse identité, il intègre le milieu intellectuel, fonde une revue, écrit dans plusieurs journaux et organise la Biennale d'Arts graphiques à Mexico. De retour en France en 1990, il est arrêté, jugé, mais le tribunal refuse son extradition vers l'Italie. Depuis cette date, il est officiellement toléré sur le territoire… mais toujours sous le coup d'un mandat d'arrêt international. À quand la fin ?

L'Exil
d'un révolutionnaire italien

> « Dans la clandestinité, l'action est
> indispensable. Tu restes un homme
> tant que tu es en action. »

« C'était à l'époque du lycée. Il y avait du mouvement dans la rue : des affrontements avec les flics, des grèves et de la violence du côté des flics comme du côté des manifestants. Les jeunes parlaient de communisme tout en attaquant le PC. Je pris conscience progressivement que le Parti communiste italien représentait un pouvoir stalinien en Italie. Viré de la Jeunesse communiste, j'ai foncé vers ce que l'on appellerait ensuite l'autonomie ouvrière italienne qui ne se reconnaissait dans aucune doctrine politique, sinon celle de la richesse tout de suite, de la créativité, du refus du travail. Et surtout du refus de l'État.

Mon engagement politique a été sans réserve aucune… Tout à fait "normalement", je rencontrai un jour des camarades qui me dirent : "Bon, ben, on va prendre les armes, on la fait vraiment, la révolution !" Nous avons fondé une organisation armée. On souhaitait prendre nos distances avec les Brigades rouges, on ne voulait pas prendre le pouvoir, on voulait seulement ouvrir des espaces de contre-pouvoir et les occuper par des activités sociales.

La question de la violence, je ne me la suis jamais vraiment posée. Je vivais dans un pays très violent… me faire tabasser ou voir les flics tabasser des gens, il n'y avait là rien d'extraordinaire, c'était même trop courant. On a toujours utilisé les armes en riposte à des agressions, à des meurtres de l'État… L'Italie ne s'était pas libérée de la tradition fasciste. Au début des années soixante-dix, il y eut des tentatives de coup d'État. J'assume politiquement la responsabilité de toutes les actions commises par l'organisation.

Au début de l'année 1976, je suis accusé d'un braquage que je n'ai pas commis… Dans ma petite ville, ils avaient besoin de me coincer. Ainsi, je deviens clandestin. J'avais déjà des activités politiques avec des camarades du nord de l'Italie. Je pars. Je passe militant à plein temps dans l'organisation…

Quand ma cavale a commencé, j'ai été projeté, confronté à une situation inconnue. Je devais avoir les nerfs solides, de la froideur. Mes camarades attendaient de moi que je sois "un pro". Si je n'avais pas agi ainsi, j'aurais eu le sentiment de trahir les miens, de ne pas être à la hauteur. Mon point fort était de pouvoir conjuguer théorie et pratique. Je pouvais braquer une banque et lire les textes théoriques sur la révolution…

Il y avait des règles à respecter pour la sécurité, la mienne et celle de tous les autres. On ne s'habille pas n'importe comment ; on prend les transports en commun à certaines heures ; il faut éviter certains endroits. On ne se lie pas d'amitié avec n'importe qui. On change d'identité, on emprunte une identité "trouvée", due au hasard ; celle d'une personne disposée à la donner, qui n'a pas déclaré la perte de ses papiers…

Ainsi, je me suis retrouvé d'abord ouvrier chez Alfa-Romeo, je m'appelais Giuseppe Ferrari, j'étais donc obligé de me comporter comme un ouvrier, faisant les trois huit, me levant à quinze heures, rentrant à cinq heures et demie du matin. Puis, j'ai eu l'identité d'un maître d'école. Il fallait s'habiller et se comporter comme un maître d'école. Enfin, j'ai été journaliste, mon nom d'emprunt était Enzo De Santis… Là, le passeport n'avait pas été prêté, j'ai dû le modifier, j'ai rajouté un "i" devant le "d", Enzo Idessantis. Parce que dans les fichiers de police, la recherche se fait par la première lettre du nom de famille.

C'est une discipline vraiment très contraignante que d'assumer une identité qui n'est pas la sienne. Les règles de sécurité étaient assez rigides. Je devais donner l'exemple parce que j'avais la responsabilité d'un groupe. Mais c'est vrai que parfois je transgressais ces règles-là. À commencer par celle qui voulait que nous soyons toujours armés. Je laissais le flingue à la maison. Je ne supportais pas le poids sur moi de ce corps étranger. Il faut dire que ça m'a sauvé plus d'une fois lors de contrôles d'identité.

Je vivais avec l'équivalent d'un Smic qui m'était donné par mon organisation et je n'arrivais même pas à le dépenser… J'achetais des livres et des disques, voilà c'est tout. Il y a sûrement eu des moments où j'ai trouvé le temps très long, mais aujourd'hui, je ne m'en souviens pas…

L'angoisse d'être en cavale, pour moi, c'était de ne pas jouir de la vie comme tous les jeunes de mon âge. J'allais dans un bar et une discothèque où il ne fallait surtout pas aller, mais je ne pouvais pas m'en empêcher.

La cavale, c'est surtout la solitude. C'est une paren-
thèse, en fait. On est soit enfermé dans un appartement, soit dans la rue, parce qu'on est obligé de vivre
selon son identité d'emprunt. On n'improvise jamais.
Tout est calculé. La vie d'un clandestin, dans le respect
des normes de sécurité, c'est d'un ennui mortel. Ce qui
fait qu'on peut se lasser, c'est l'excès de solitude. Arrive
un point où on ne la supporte plus.

Entre un droit commun et un politique, je pense
qu'il y a un point commun : tous les hommes en
cavale sont confrontés à la solitude et à leur destin.
J'en suis sûr.

Comme j'étais recherché activement, cela voulait
dire que si l'on m'attrapait, pour moi c'était fini. La prison ou une balle dans la tête. Je te donne l'exemple du
braquage. Quand je braquais, je n'avais plus rien à
perdre, tout le monde le sentait. Cela se voyait dans
mes yeux, cela s'entendait dans ma voix. J'avais l'ins-
tinct du danger, je reniflais les coups tordus, les flics.
Tant que l'on veut rester libre, on le reste. Au cours
d'un rendez-vous avec un membre d'une autre organisation, j'avais remarqué une Fiat dans la rue. Quelque
temps après, je vais dans une planque et je vois cette
même voiture dans la rue. Six mois avant, je me serais
sauvé. Là, j'étais trop fatigué, tout était perdu, le combat nous échappait. Inconsciemment, je crois que je
voulais être arrêté. C'est ce qui est arrivé au petit matin
quand les forces antiterroristes ont donné l'assaut. J'ai
été arrêté dans l'appartement de Milan, avec les autres
copains, on était armés, on préparait une opération de
financement, pas une opération politique.

Quand mes compagnons sont venus attaquer la prison où j'étais incarcéré, une fois dehors, j'ai senti pour la première fois que j'étais devenu un danger pour mes compagnons. Il me fallait fuir à l'étranger, ce que j'ai fait avec quelques camarades en traversant les Alpes à pied. Je n'étais ni gangster, ni banquier, ni homme politique en cavale, avec de l'argent de côté. Quand je suis arrivé en France, j'ai découvert ce que signifiait vivre en cavale pour une armée défaite. J'ai vivoté grâce à la solidarité des camarades français. J'avais un avocat qui m'a informé que les autorités françaises ne voulaient pas de moi, car mon cas était trop lourd.

J'avais le choix entre plusieurs pays, mais j'avais une relation qui connaissait quelqu'un au Mexique, alors nous sommes partis. Je suis arrivé à Mexico comme un touriste, mais je me suis intégré au milieu intellectuel, universitaire.

Le Mexique, c'était d'abord la distance, une distance mentale aussi. J'ai pu y respirer. Parce que jusque-là, je n'avais pas fait autre chose que courir. C'était une pause. Je me suis finalement arrêté, je me suis assis et j'ai regardé autour de moi comme une personne normale. Je n'ai pas eu le temps de penser à mon passé, de me tourmenter. La vie était tellement frénétique, ça allait tellement vite, je la redécouvrais, je me redécouvrais, en dehors de la militance, de cette foi révolutionnaire. Il a fallu que j'arrive au Mexique pour comprendre les choses les plus banales de la vie quotidienne : j'ignorais ce que voulait dire payer un loyer, une facture d'électricité, etc.

Pendant ces dix années de cavale au Mexique, j'ai vécu avec des faux papiers italiens et j'ai respecté trois règles indispensables si je voulais durer dans cette nouvelle vie. La première : aucun contact avec la famille ou le passé. La deuxième : bien connaître les lois du territoire sur lequel je vivais. La troisième : éviter de vivre comme quelqu'un en cavale, c'est-à-dire que je devais profiter de la vie comme n'importe qui. C'est ainsi que j'ai fini tout doucement par complètement oublier que j'étais en cavale.

Pendant toutes ces années, j'ai porté une douleur, une culpabilité à l'égard de ma famille que je respectais profondément. Mes parents étaient des gens très modestes qui ont fait tout leur possible pour que je ne bascule pas dans la lutte armée. Ils ont été dépassés par les événements. De mon côté, je pensais souvent à eux, mais j'ai essayé de ne pas être détruit par cette souffrance car je voulais aller jusqu'au bout de mes convictions.

Ma grande découverte pendant mes années de cavale, c'est que je devais assumer complètement mon présent et mon avenir. J'étais vulnérable et en même temps très fort. Je n'avais plus d'attache, je n'avais plus rien.

Aujourd'hui, je dois faire un effort pour ne pas croire que quelqu'un est en train de me suivre. Tu vois par exemple, quand j'ai un rendez-vous avec quelqu'un que je ne connais pas, j'arrive toujours dix minutes en avance pour repérer les lieux. C'est un truc qui énerve ma copine… »

13 ans de prison, 8 ans de cavale.

Daniel Bloch

« Ce qui date le plus, c'est la révolte,
c'est-à-dire la plus vivante de nos réactions. »
E. M. CIORAN

Daniel Bloch est né en 1952 au Landeron, sur les rives du lac de Neuchâtel en Suisse. Son enfance et son adolescence se déroulent « normalement » et modestement. Ce beau gosse sportif et brillant mène ses études jusqu'à son entrée à l'université comme un enfant sage. Le masque raisonnable commence alors à se fissurer. À vingt-quatre ans, il devient objecteur de conscience. Pour ce « délit », il est condamné à cinq mois de détention ferme par un tribunal militaire. Derrière les barreaux, il fait une rencontre déterminante qui va achever de modifier le cours de son destin : Jacques Fasel, jeune intellectuel autodidacte et poète, qui rêve de transformer le monde. Ce dernier initie Bloch aux thèses anarchistes. Début 1977, une fois dehors, naît le groupe connu sous le nom de « Bande à Fasel », qui attaque en 1978 et 1979 différentes institutions étatiques. Suite à un hold-up, le 14 décembre 1978, le duo Fasel/Bloch est identifié. Ce dernier part immédiatement en cavale à Paris et décide d'entreprendre une psychanalyse… Elle porte sur la mort de son frère Christian, un deuil jamais achevé. Suivent deux années d'une quête intérieure intense. Puis, le 28 avril 1981, Daniel Bloch est arrêté place de l'Étoile, après trois ans de cavale parisienne et divers hold-up. Le jeudi 5 décembre 1985, Bloch est condamné à une peine de dix ans de réclusion. Commence alors une lente reconstruction personnelle durant laquelle il reprend ses études. Quelques années plus tard, il passe une licence en sociologie. Passionné d'informatique, une fois libre, il crée une petite entreprise. Devenu un exemple de réinsertion, il est soupçonné de l'enlèvement du fils d'un riche industriel. Il part alors dans une nouvelle cavale qui dure cinq ans.

Daniel Bloch est aujourd'hui incarcéré à la prison de Bochuz où il purge une peine de quinze ans de prison. Il se consacre à un travail critique de l'Histoire suisse.

La Psychanalyse en cavale

> « Le prototype de ma vie clandestine
> a été ma vie sentimentale. »

« À seize ans, j'ai dû cacher ma première relation amoureuse à mes parents et aux parents de mon amie. Tout se passait en secret. Je sortais à neuf heures du soir, je prenais des chemins détournés, j'escaladais le mur de sa maison, j'arrivais à sa fenêtre le cœur battant. Lentement, je commençais à vivre la nuit, à voir l'envers du décor, j'étais en dehors des conventions. Je repartais à six heures du matin après avoir fait l'amour et je reprenais ma vie normale.

Ma cavale a commencé le jour où deux de mes camarades se sont fait surprendre par un garde-chasse en train de tirer avec des armes volées en forêt. Ils ont réussi à foutre le camp, mais les flics m'ont alors identifié et sont remontés jusqu'à moi. À partir de là, ils m'ont soupçonné et se sont pointés chez moi. Ils m'attendaient devant la maison de mes parents dans une BMW, c'étaient deux armoires à glace. En quelques secondes, j'ai décidé de me tirer.

Dans ma tête, la cavale avait déjà commencé depuis longtemps ; je menais une vie parallèle. Je faisais du combat clandestin avec des amis, objecteurs de conscience comme moi, qui avaient été en prison pour leur refus d'aller à l'armée. Pour nos semblables, on vivait normalement, mais on avait une vie souterraine ; on attaquait des postes de police, des lieux administratifs pour avoir des papiers et on avait une infrastructure de combats clandestins. Cette fuite était donc une suite logique de ma vie. Mais ça fait quand même un choc de voir la police devant sa maison. En m'enfuyant, je me suis rendu compte que s'opérait un basculement, c'était irréductible et inéluctable. C'était une fuite vers l'inconnu, une fuite et une découverte aussi. Toute les opérations que j'avais faites en semi-clandestinité, c'était comme dans un immense rêve. Là, brutalement, tout devenait très réel, très concret. Il fallait savoir conduire, se faufiler dans des petites ruelles, passer une frontière sans se faire repérer… Les portes de la France se sont alors ouvertes à moi.

Après un mois à Paris, mon amie qui revenait de Suisse m'a rapporté mon courrier. Ça m'a un peu amusé, ce réflexe de prendre le courrier parce que pour moi, en cavale, ça n'avait plus aucune importance. Là je vois une carte postale de la tour Eiffel, je la retourne et lis que c'est mon ami Philippe, psychanalyste, qui m'annonce son installation à Paris. Alors je prends le métro et je vais sonner chez lui. On discute longuement, je lui parlais toujours de sociologie et lui me parlait de psychanalyse. Et je décide d'entreprendre une psychanalyse avec lui.

Jusqu'alors j'étais toujours dans une démarche extérieure, sociologique, politique… et puis là il m'a piégé dans une démarche d'introspection. Il savait que j'étais en cavale, il savait ce que j'avais fait. Je lui avais tout dit. Cette analyse a été une façon de vérifier si j'étais fou ou non et aussi une manière de faire un grand nettoyage psycho-affectif. J'ai retrouvé des choses fortes, précieuses, comme la mort de mon jeune frère survenue alors que j'avais six ans et que toute la famille avait refoulée. Quelque part, ça m'intéressait d'analyser pourquoi j'étais dans cette situation socialement désastreuse.

La cavale et la psychanalyse sont des moments qui sont au-delà du temps, qui échappent à une réalité construite par un environnement social, c'est en même temps une invention, un labyrinthe, et une quête. Si j'essaie de ressentir les émotions et mon vécu de l'époque, il y a une similitude. Je peux dire que je sortais d'une séance d'analyse comme je sortais d'un hold-up, vidé.

En fait, j'avais oublié que j'étais en cavale, je vivais un travail analytique tout à fait merveilleux, dans un environnement fabuleux. J'allais après les séances à Beaubourg, j'allais jouer aux échecs. Il y a vraiment des strates où le système ne peut pas te détecter. Il suffit d'être un type normal qui vit normalement. C'est exactement ce que j'ai fait. Pendant mon analyse, je n'ai même jamais cessé de revenir en Suisse. J'y revenais avec l'esprit d'un combattant qui arrive dans un territoire ennemi. Cet état d'esprit, je l'avais acquis à l'armée dans ce que nous appelions alors la guerre de chasse. J'étais donc armé et prêt à la bagarre. Je revenais clandestinement pour faire des opérations, des braquages, des cambriolages… Je restais des fois deux ou trois mois dans la région.

Mon travail de combat social était toujours justifié, pourtant je commençais à être nuancé. Le travail psychanalytique m'évitait d'en passer par la violence, armée, réelle et me montrait la part fantasmatique de tout cela.

Il faut d'abord dire que j'étais dans une famille qui n'a jamais recouru à la violence. Je n'ai jamais reçu une claque, mes parents n'ont jamais été violents. Après j'ai été dans un milieu universitaire où on est dans la négociation, dans la discussion. Et lorsque j'ai refusé de "grader" dans l'armée, j'ai trouvé tout à coup une violence sociale forte dans le pénitencier où j'étais détenu. Cette violence-là allait entraîner chez moi une "surviolence" qui n'était plus analysée, qui était excessive. J'aurais très bien pu tuer des gens à l'époque, ça c'est vrai, et froidement. On allait vers une militarisation de notre combat et le fait que j'entre en discussion avec un psychanalyste qui accepte de m'écouter a commencé à éroder ces certitudes-là. En lui parlant je voulais savoir si une partie de ma réaction à l'agression sociale était pure réaction ou s'il n'y avait pas dessous un substrat familial, un substrat événementiel dans ma vie qui a fait que j'ai fortement réagi à une agression sociale.

Il y avait parallèlement en moi un aspect irrationnel pendant la cavale, une stratégie inconsciente de dénégation de la réalité. Je me disais que j'étais en fuite et en même temps que je n'y étais pas puisque je sortais, j'allais dans mon village, j'allais voir des expositions, parce qu'à un moment on ne peut plus supporter la cavale, c'est trop dur. Tu as tout perdu, tu es le fugitif, un fantôme qui n'est pas mort. En cavale, t'es confronté à une fin, parce que ça n'a de sens que par rapport à la prison ou la mise à mort. Donc tu es confronté à ta finitude, c'est une finitude sociale, mais aussi physique. Tu te sens mortel, tu te sais mortel.

La psychanalyse m'a permis d'avoir une idée assez globale, assez précise, je pense assez objective, de tout ce qui s'est passé comme alchimie psychique à cette époque-là.

Ma cavale s'est transmuée en quête, en un exil intérieur, ce n'était plus une cavale dans l'angoisse, mais dans l'émerveillement. Donc elle n'était plus malheureuse, ni angoissée, elle était une sorte de quête sereine vers quoi, je ne sais pas, mais maintenant, je sais comment aller vers une sorte d'euphorie intérieure, vers une sorte presque de divinité intérieure.

Pendant ma cavale, j'étais étonné parce que je n'avais jamais vu les gens que je connaissais comme ça. J'étais au cœur des gens parce que je devais les observer pour des questions pratiques, pour savoir à quelle heure ils sortaient, parce que j'entrais parfois chez eux. Pour aller rendre visite à quelqu'un il faut savoir quand le voisin est là ou pas, il faut connaître ses habitudes de vie, comme le chasseur, parce qu'il va peut-être téléphoner à la police. Tu risques la fin de ta cavale, la fin de ce moment-là, donc ça t'oblige à une observation exacte, minutieuse. C'est un jeu, il y a un aspect ludique de tout ça. Je me trouvais tout d'un coup dans un lieu où je n'aurais jamais dû être, à Paris, dans un milieu de riches. Je n'avais jamais vécu ça de l'intérieur.

Et je retournais parfois dans mon village. Des fois de nuit, des fois au lever du soleil pour voir ces endroits où je suis né et où je n'ai pas tout compris. J'étais une sorte de funambule qui évitait les gens qu'il connaissait et les observait. J'avais envie de savoir pourquoi eux continuaient à vivre normalement puisque moi je ne vivais plus normalement. Et ça, surtout la nuit, me donnait le sentiment d'être un fantôme social. Je passais en voiture, d'autres fois en vélo, d'autres fois à pied, avec des accoutrements un peu différents, et je regardais des gens qui, eux, ne me voyaient pas. Ça, c'est extraordinaire et assez mystérieux !

La cavale, c'est une frontière nette entre le normal et l'anormal. Au moindre faux pas on tombe. La chute, c'est la prison, la déchéance sociale. Dans l'inconnu social, temporel et existentiel, tout est à inventer. Tu peux retomber dans la quotidienneté, plein de gens en cavale refont leur famille et leurs histoires. Moi, j'ai toujours refusé, justement. J'ai toujours essayé de rebondir dans cet état d'esprit de quête permanente. Pour moi, la vie est très courte et je ne peux pas la perdre à répéter tous les jours un comportement dicté par la société. La cavale, c'est presque sortir comme une fusée de l'attraction terrestre, c'est sortir de son attraction sociale. Quand tu atterris, en général, tu n'as pas de parachute qui te protège, tu arrives et puis boum tu es dans le réel. Il faut encore avoir la force de se reconstruire. À celui qui sent qu'il a la force de se reconstruire, je conseille la cavale. Mais je la déconseille à 99,9 % de la population : c'est pas drôle, c'est pas confortable, c'est épouvantable pour les gens que l'on aime, pour sa famille, pour ses proches.

J'ai fait sept ans de cavale et treize ans de prison. En tout je vais en faire dix-huit, peut-être vingt… Je le saurai quand tous les procès seront terminés. En prison je ne parle pas de cavale, parce que c'est comme si tu crèves de faim, tu ne parles pas d'un gigot, de son parfum, de sa saveur, de la sauce et tout ça.

J'ai maintenant cinquante ans et je ne me suis toujours pas calmé, je continue ma quête, ma révolte et mon action contre les injustices de ce monde. Voilà pourquoi le système me considère comme un vrai emmerdeur. C'est pour ça qu'on va me punir beaucoup sans me faire de cadeau. »

Repères bibliographiques

Leurs ouvrages

Cesare Battisti
- *Dernières Cartouches*, Joëlle Losfeld, 1998. ; Rivages, 2000.
- *Les Habits de l'ombre*, Gallimard, Série noire, n°2320 , 1993.
- *Jamais plus sans mon fusil*, Éditions du Masque, 2000.
- *J'aurai ta Pau*, La Baleine, n° 58, 1997.
- *Nouvel An, Nouvelle Vie*, Mille et une nuits, 1997.

Daniel Bloch
- *La Bande à Fasel*, Éditions de l'Aire.

Yazid Kherfi
- *Repris de justesse*, Syros, 2000.

Jean-Claude Pirotte
- *Autres Arpents*, La Table ronde, 2000.
- *Cavale*, La Table ronde, 1997.
- *Fond de cale*, Le Temps qu'il fait, 1991.
- *Mont Afrique*, Le Cherche Midi Éditeur, 1999.

Sur le thème de la cavale

David Goodis
- *Cauchemar*, Gallimard, 1998.
- *La Pêche aux Avaros*, Gallimard, Série noire, n° 1801, 1997.
- *Sans espoir de retour*, Gallimard, Folio, 1998.

◆ *Tirez sur le pianiste*, Gallimard, Série noire, n° 379, 1996.
◆ *Vendredi 13*, Gallimard, Série noire, n° 279, 1998.

William Irish
◆ *Marihuana*, Presse de la Cité, n° 446, 1958.

James Hadley Chase
◆ *Tirez sur la chevillette*, Gallimard, Carré noir, n° 71, 1985.

José Giovanni
◆ *Classe tous risques*, Gallimard, Série noire, n° 428, 1997.
◆ *Le Deuxième Souffle*, Gallimard, Folio, n° 2011, 1989.
◆ *Histoire de fou*, Gallimard, Série noire, n° 475, 1959.

Georges Simenon
◆ *L'Évadé*, Gallimard, 1936.

Albertine Sarrazin
◆ *L'Astragale*, Pauvert, 1966.
◆ *La Cavale*, Pauvert, 1965.

Albert Londres
◆ *Au bagne*, Le Serpent à Plumes, Motifs, n° 59, 1998.
◆ *L'Homme qui s'évada*, Le Serpent à Plumes, Motifs, n° 81, 1999.

Bernard-Marie Koltès
◆ *Roberto Zucco*, Éditions de Minuit, 1990.

Sur le thème de la disparition sociale
◆ BOVE (Emmanuel), *Le Pressentiment*, Le Seuil, Points n°5797, 2000.
◆ CAMUS (Albert), *La Chute*, Gallimard, Folio, n° 36, 1997.
◆ SIMENON (Georges), *La Fuite de monsieur Monde,* Le Livre de poche, n° 14283, 2000.

Filmographie

◆ *J'ai le droit de vivre*
Film américain de Fritz Lang, 1937. Victime d'une erreur judiciaire, un condamné à mort s'évade avec l'aide de sa femme…

◆ *Les Passagers de la nuit*
Film américain de Delmer Daves, 1947. Un évadé de prison, accusé à tort du meurtre de sa femme, trouve refuge chez une jeune artiste…

◆ *Le Fugitif*
Film américain de Joseph L. Mankiewicz, 1948. Avec Rex Harrison, Peggy Cummings, Jill Esmond. Un homme qui a tué accidentellement un policier ne parvient pas à échapper à la fatalité…

◆ *Les Amants de la nuit*
Film américain de Nicholas Ray, 1949. Dans les années trente, deux jeunes amants tentent d'échapper aux sanctions de la loi…

◆ *Le Démon des armes*
Film américain de Joseph H. Lewis, 1950. La cavale sanglante d'un couple fasciné par les armes…

◆ *La Chaîne*
Film américain de Stanley Kramer, 1958. Deux détenus, l'un blanc, l'autre noir, s'évadent. Ils ne parviennent pas à rompre la chaîne qui les lie…

◆ *À bout de souffle*
Film français de Jean-Luc Godard, 1959. Revenu d'Italie, Michel Poicard vole une voiture à Marseille, tue stupidement un motard…

◆ *Classe tous risques*
Film français de Claude Sautet, 1960. Le gangster Davos, traqué par la police italienne, décide de rentrer en France…

◆ *La Poursuite impitoyable*
Film américain de Arthur Penn, 1966. À la suite de l'évasion d'un détenu, la ville dont ce dernier est originaire (une petite ville du Texas) va être prise de folie…

◆ *Le Deuxième Souffle*
Film français de Jean-Pierre Melville, 1966. Un repris de justice s'évade et se replonge dans le milieu de la pègre parisienne…

◆ *Bonnie and Clyde*
Film américain de Arthur Penn, 1967. La cavale meurtrière du couple mythique…

◆ *Guet-apens*
Film américain de Sam Peckinpah, 1972. Un couple prend la fuite à la suite d'une attaque de banque…

◆ *Les Valseuses*
Film français de Bertrand Blier, 1973. Deux loulous en cavale rencontrent sur leur chemin une jeune fille…

◆ *Sugarland Express*
Film américain de Steven Spielberg, 1974. Un couple en fuite à bord d'une voiture est poursuivi par toute la police du Texas…

◆ *La Ballade sauvage*
Film américain de Terence Malik, 1975. La cavale sanglante de deux adolescents dans le centre des États-Unis…

◆ *Le Choix des armes*
Film français d'Alain Corneau, 1981. Deux truands en cavale vont se cacher chez l'ami de l'un deux…

◆ *Down by Law*
Film américain de Jim Jarmusch, 1985. Trois hommes se retrouvent en prison et décident de s'évader…

◆ *À bout de course*
Film américain de Sydney Lumet, 1988. Deux personnes subissent les conséquences du geste de leurs parents qui, en 1971, opposés à la guerre du Viêt-nam, ont perpétré un attentat contre une usine de napalm…

◆ *Thelma et Louise*
Film américain de Ridley Scott, 1990. Deux femmes décident de fuir leurs univers quotidien pour une cavale dans les grands espaces de l'Ouest américain...

◆ *Un monde parfait*
Film américain de Clint Eastwood, 1993. La cavale d'un homme qui se découvre la fibre paternelle...

◆ *Another Day in Paradise*
Film américain de Larry Clark, 1998. La cavale de deux éphèbes délinquants...

◆ *O' Brother, Where Are Thou ?*
Film américain des frères Coen, 2000. Un beau parleur impénitent et un petit malfrat s'évadent en compagnie de deux loosers maladroits...

Remerciements de l'éditeur

À Chantal Bernheim, de Dune Production, et à Agnès Guérin, d'ARTE.

Remerciements de l'auteur

Mes remerciements et ma reconnaissance à Claude Villers, Daniel Mermet, Robert Arnaut, Paula Jacques, Annick Saint-Hamont, Jean-Claude Coundy. Mosco Boucault. Jean-Pierre Ramsay-Levi, Hélène Badinter, Jean-Marie Munand, Paul Rozenberg. Patrick Winocourt et Juliette. Antoine Héberlé. Jacques Lesage de la Haye. Chantal Bernheim, Philippe Bedfert, Alec Hermann, Anne Labro. Thierry de Coster. Alain Wieder. Serge Livrozet, Alexandre Dumal, Jacques Lerouge, Laurent Jacqua, Roger Knobelpiess, Interpol, Christiane Philippe. Mes camarades Jean-Stéphane Bron, François Bovy et Karine Sudan. Mon Agnès pour son doux soutien. L'autre Agnès pour sa confiance. Camille pour l'idée de ce livre. Mes amis et mes voisins, Eddy, Lundi et Joséphine.

Mme Anne Baillet. Emmanuelle Pirotte et Sylvestre Sbille. M. et Mme Sontag. Mme Janin et Rémi. M. et Mme Jean-Claude Fournier. Maître André M. Servais. Jean-Paul Chabanier. Esther Belolo.

Marie et Luca. M. Pierre Pauly. François et Rachel Coudray. Marie-Claude R., Véronique B., Rémi Pelletier et Philippe. Bouzid Saadi. Gilles Millet.

La famille Kherfi. Les enfants du Val-Fourré. Les cousins de Yazid à la Grande-Combe.

Olivier Bertrand, Charles Rojzman, Laurence Battisti et ses filles. Mariette. Jorge Amat.

Éric Yung, Philippe Gérard, psychanalyste. Monsieur et Madame Bloch. Jean-Luc Pochon, Anthony Boedgen, des établissements pénitentiaires de la plaine de l'Orbe.

Achevé d'imprimé en mars 2001
sur papier EnsoClassic par G. Canale & SpA (Turin, Italie).
n° d'édition 12 004
49.4658.01.8